Era la última noche del año y hacía un frío terrible.

Una pobre niña caminaba por la calle cubierta de nieve, con unas viejas zapatillas que le quedaban grandes, pues eran de su madre. Tiritaba de frío y estaba muy cansada y hambrienta.

Al cruzar una calle, un coche de caballos estuvo a punto de atropellarla, y al correr para esquivarlo, la pobre niña perdió las zapatillas.

Un niño travieso cogió una de las zapatillas y se marchó corriendo, y la niña no pudo encontrar la otra, por lo que tuvo que seguir su camino descalza, con los pies amoratados por el frío.

En el bolsillo de su viejo delantal, la niña llevaba un montón de cajas de cerillas que había salido a vender, pero nadie le había comprado ninguna y estaba muy triste.

Empezó a nevar de nuevo. Los copos caían sobre la rubia cabellera de la niña, que seguía caminando hambrienta y temblando de frío.

No se atrevía a volver a su casa, pues como no había vendido ninguna caja de cerillas, no tenía ni una sola moneda, y su padre le daría una paliza si volvía con las manos vacías.

Era la noche de fin de año, y todas las ventanas estaban iluminadas. Todo el mundo se preparaba para festejar la Nochevieja, y a la calle llegaban los aromas de las sabrosas cenas.

La niña tenía tanto frío que encendió una cerilla para calentarse las manos.

Al encenderla, como por arte de magia, apareció ante ella una acogedora chimenea en la que ardía un hermoso fuego. La niña sintió una enorme alegría.

Pero al apagarse la cerilla, la chimenea y el hermoso fuego desaparecieron tan súbitamente como habían aparecido.

La niña pensó que todo había sido cosa de su imaginación.

Tenía mucho frío y estaba muy cansada, así que se sentó en el suelo.

No hacía más que pensar en la hermosa chimenea que viera al encender la cerilla. ¡Qué agradable hubiera sido tener una chimenea así en casa! Pero en su casa hacía casi tanto frío como en la calle, pues el tejado estaba roto y el viento entraba por las rendijas.

La niña decidió encender otra cerilla para calentarse un poco las manos.

Frotó la cerilla contra una pared, y fue como si la llama volviera transparente el muro de piedra, pues la niña pudo ver a través de él una gran mesa con un mantel blanquísimo, llena de los manjares más deliciosos.

La niña estaba muerta de hambre y se quedó como atontada, mirando toda aquella comida, cuyo delicioso aroma podía oler claramente.

Pero, al apagarse la cerilla, la pared volvió a ser de dura piedra y la visión desapareció.

Rápidamente, la niña encendió
otra cerilla, y fue como si de la
llama empezara a brotar un árbol
luminoso.

De pronto, la cerillera se
encontró ante el más maravilloso
árbol de Navidad que había visto en
su vida.

El árbol era enorme y estaba lleno de velas encendidas y de brillantes adornos.

En la punta del árbol había una estrella resplandeciente, y la niña se quedó mirándola.

De pronto, todas las luces del árbol empezaron a subir hacia el cielo, hasta confundirse con las estrellas.

La estrella del árbol subió más arriba que ninguna, y luego cayó hacia la niña dejando un rastro de luz tras ella.

«Alguien se debe estar muriendo en este momento —pensó la niña—, y su alma sube al cielo.»

Entonces la pequeña cerillera
se acordó de su abuelita, pues era
ella la que le había dicho que
cuando caía una estrella un alma
subía al cielo.

La abuelita era la única
persona que había querido a la niña,
pero había muerto.

Muy triste, la niña encendió
otra cerilla, ¡y a su luz apareció
su abuelita!

La anciana sonreía dulcemente
y estaba rodeada de un halo de luz.

—¡Abuelita! —exclamó la niña—.
¡No desaparezcas cuando se apague
la cerilla, como todo lo demás!
¡Llévame contigo!

La niña encendió una cerilla
tras otra, por miedo a que su
abuelita desapareciera. Las
cerillas daban tanta luz que
parecía de día.

Entonces la abuelita cogió a la
niña en brazos y se la llevó
volando hacia el cielo.

A la mañana siguiente,
encontraron a la niña en un rincón,
junto a la casa en cuya pared había
frotado las cerillas.

Tenía las mejillas amoratadas
por el frío, pero en sus labios
había una dulce sonrisa.

Estaba muerta, y en su manecita
cerrada sujetaba con fuerza un
montón de cerillas quemadas.

—Pobrecilla —decía la gente—,
ha muerto de frío la noche de fin
de año.

—Mirad todas esas cerillas
quemadas. La pobre niña intentó
calentarse con su llama, pero no le
sirvió de nada.

Pero lo que no sabía aquella gente que se estaba compadeciendo de la pequeña cerillera, era que la niña había pasado la más maravillosa noche de fin de año, en el cielo con su querida abuelita.